J'AIME ET JE SOIGNE MON

COBAYE

Joyce Pope — Jeannie Henno

Conseiller de la collection :

Michael Findlay

Éditions Gamma — Les Éditions École Active

Paris — Tournai — Montréal

L'auteur

Joyce Pope travaille au Bureau des renseignements du Musée britannique d'Histoire naturelle, et elle donne aussi de façon régulière des conférences aux enfants et aux adultes, sur des sujets très divers.

Elle fait partie de groupes de protection de la nature et a écrit de nombreux ouvrages sur différents sujets, tels que les animaux d'Europe, les animaux des villes et les animaux de compagnie. Elle aime garder chez elle des animaux familiers, et elle possède actuellement plusieurs petits mammifères, deux chiens, un chat et un cheval.

Le conseiller

Michael Findlay est un chirurgien vétérinaire diplômé, qui s'est occupé principalement d'animaux de compagnie, et il est actuellement conseiller d'une société pharmaceutique. Il s'occupe chaque année du Crufts Dog Show et est membre du Kennel Club. Il est président de plusieurs clubs félins et du Feline Advisory Bureau. Il possède actuellement trois chats siamois et deux labradors.

Remerciements

Les photographes et éditeurs tiennent à remercier monsieur Neil Forbes, des Lansdown Veterinary Surgeons de Stroud, monsieur Jim Rowe, du Lynton Pet Shop de Gloucester, madame Rosemary Marmon, ainsi que les familles et leurs cobayes qui ont participé aux photographies destinées à ce livre.

L'édition originale de cet ouvrage
a paru sous le titre : *Guinea Pig*
Copyright © Franklin Watts Ltd 1986
12a, Golden Square, London W1R 4BA
All rights reserved

Adaptation française de Jeannie Henno
Copyright © Éditions Gamma, Tournai, 1987
D/1987/0195/31
ISBN 2-7130-0857-3
(édition originale : ISBN 0 86313 362 2)

Exclusivité au Canada :
Les Éditions École Active,
2244, rue Rouen, Montréal H2K 1L5
Dépôts légaux, 3ᵉ trimestre 1987,
Bibliothèque nationale du Québec
Bibliothèque nationale du Canada
ISBN 2-89069-151-9

Présentation générale de
Ben White

Illustrations de
Hayward Art Group

Photographies de
Sally Anne Thompson et
R T Willbie/Animal Photography

Imprimé en Belgique

J'AIME ET JE SOIGNE MON

COBAYE

Sommaire

Introduction

Beaucoup de personnes aiment s'occuper d'animaux. Un animal familier peut rendre la vie plus amusante, plus intéressante. Sa présence réconforte souvent une personne seule ou malade.

En observant et en soignant ton ami à quatre pattes, tu apprendras comment les animaux vivent dans la nature. Mais réfléchis bien avant de te décider à élever un animal.

▽ Le cobaye abyssin est une des races les plus recherchées. C'est un petit animal très actif, mais il ne mordra pas et ne se débattra pas s'il est bien manié, sans brusquerie.

Retiens bien ceci

Rappelle-toi toujours qu'un animal n'est pas un jouet que tu peux mettre sur le côté et oublier, mais un être vivant. Comme toi, il peut être content ou avoir peur. Il doit boire et manger, faire de l'exercice, jouer, dormir dans un endroit calme et chaud.

Si tu veilles à tout cela, ton ami aura confiance en toi et sera heureux en ta compagnie.

▽ Un cobaye peut procurer beaucoup de plaisir à celui qui s'en occupe, particulièrement à un handicapé. Mais fais bien attention à ne pas le laisser tomber quand tu le prends dans les bras ou sur les genoux !

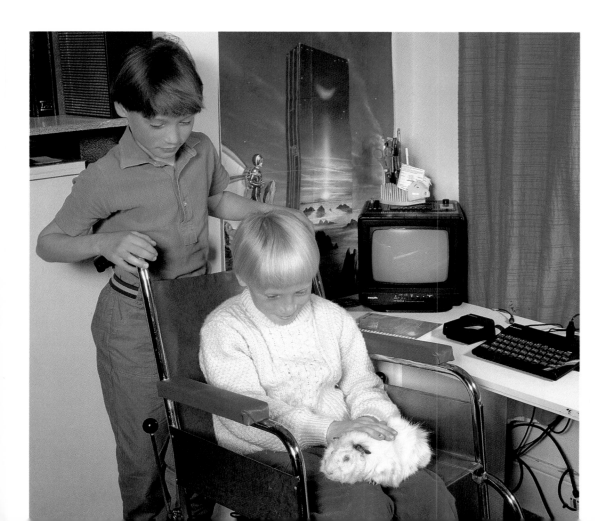

Un compagnon agréable

Le cobaye — que l'on appelle aussi cochon d'Inde — est parmi les plus doux des petits animaux, mais il est facilement effrayé.

Son achat ne coûte pas cher. Il ne lui faut pas beaucoup de place, il mange assez peu et il n'est pas bruyant. De plus, s'il est bien soigné, il ne dégagera qu'une très faible odeur. Il est donc tout à fait possible d'élever ce petit animal à l'intérieur de la maison.

▽ Le cobaye peut devenir très familier. Il vit plus longtemps que la plupart des autres petits animaux : trois ans au moins, et parfois bien davantage.

N'élève un cobaye qu'avec l'accord de tes parents et des personnes de ta famille, et après t'être assuré qu'il y a suffisamment de place dans la maison pour le loger convenablement.

Les cobayes sont très sensibles au froid, au froid humide surtout. Il faudra donc placer ton ami dans un endroit assez chaud et à l'abri des courants d'air ; mais ne le place pas dans un garage, car les gaz d'échappement d'une voiture sont très mauvais pour lui.

Quelques dépenses seront nécessaires. En effet, il lui faudra une cage, de la litière et de la nourriture.

△ Dans la mesure du possible, garde ton cochon d'Inde à l'intérieur, bien au chaud.

▽ De temps en temps, tu pourras l'emmener dehors où il s'amusera à explorer, mais attention : pas de chien ni de chat à proximité !

7

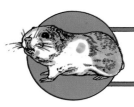

Les cobayes font partie de la grande famille des rongeurs. Les deux paires de dents tranchantes qu'ils ont à l'avant de la mâchoire — les incisives — continuent à pousser durant toute leur vie. Les aliments durs que ces animaux grignotent usent les dents et les empêchent de devenir trop longues.

Les cobayes sont actifs surtout durant le jour. Ils ont une bonne vue et l'ouïe et l'odorat très fins. Leurs sens bien développés les avertissent de la présence d'autres animaux, qui pourraient les attaquer et les tuer.

△ Le cobaye du Pérou est le plus connu parmi les espèces à poil long. Ses poils retombent vers l'avant, presque sur le museau.

Le sheltie est une autre espèce à poil long, ou angora, mais son aspect est différent parce que ses poils retombent vers l'arrière et dégagent complètement la tête.

De nombreuses races ou variétés de cobayes ont été produites par élevage. Les couleurs sont très diversifiées, mais on distingue trois types principaux de fourrure : à poil court et lisse, à poil dur ou à rosettes (touffes), et à poil long.

Les cobayes à poil court sont d'un entretien facile. Les cobayes abyssins, à touffes de poils durs sur le dos, le sont presque autant. Seuls les cobayes à poil long sont assez difficiles à soigner, car leur poil pousse continuellement.

▽ La fourrure du cobaye abyssin est assez rêche et les poils ont une longueur de 4 cm environ. La robe de celui ci-dessous, formée de poils rougeâtres, blancs et noirs, est dite « rouanne ».

△ Les cobayes à poil court sont généralement préférés en raison de la facilité de leur entretien. Beaucoup ont un pelage de plusieurs couleurs.

Le cobaye abyssin est le plus commun des cobayes à poil dur. Ses poils poussent en touffes à partir de points centraux, le long de son dos et de ses flancs, et s'étalent en espèces de rosettes. Aux endroits où ils se rejoignent, ils forment des sortes de crêtes, sur ses épaules et son dos.

Le cobaye huppé fait partie des cobayes à poil dur. Ses poils sont courts, à l'exception d'une touffe plus longue sur le sommet de la tête.

Le rex est une nouvelle variété. Son poil court et raide, qui se dresse sur tout le corps de l'animal, le fait ressembler un peu à un hérisson.

▽ La fourrure mouchetée de ce cobaye rex agouti ne paraît vraiment pas très soyeuse...

△ Les cobayes à la fourrure blanche ou claire ont parfois les yeux roses. C'est rare chez ceux qui ont un pelage foncé.

Quel que soit son type, le pelage d'un cobaye de race pure peut être de différentes couleurs. On dit des cobayes qui ont partout la même couleur, qu'ils ont une robe simple. Il en existe d'un beau noir brillant, dont chaque poil est entièrement noir.

Les espèces qui ont une robe bigarrée peuvent avoir, par exemple, de larges rayures noires, brunes et blanches. Le cobaye de l'Himalaya est d'un blanc pur à sa naissance, mais, par la suite, sa tête, ses oreilles et ses pattes prennent une teinte foncée. Le rex agouti paraît moucheté, car chaque poil est ligné de deux couleurs différentes.

▽ Le cobaye dalmatien est une race au poil lisse dont la robe blanche est tachetée de noir, comme celle d'un chien dalmatien.

△ La fourrure foncée de ce cobaye chocolat et blanc montre l'éclat que doit avoir le poil d'un animal en bonne santé.

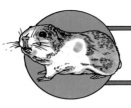

La cage du cobaye

△ Tes parents ou des amis t'aideront peut-être à fabriquer une cage pour ton cochon d'Inde. Sinon, tu pourras en acheter une dans la plupart des magasins spécialisés.

Élèveras-tu un ou deux cobayes ? Tu devras te décider d'après les circonstances. Le cobaye n'aime pas la solitude, mais si tu peux le garder à l'intérieur de la maison, là où il pourra observer les allées et venues, et si tu trouves aussi le temps de jouer souvent avec lui, un cobaye solitaire ne sera pas malheureux.

Mais si tu comptes placer le cochon d'Inde à l'extérieur, ou dans un hangar, mieux vaut acheter deux animaux qui se tiendront compagnie.

La grandeur de la cage variera, bien entendu, en fonction du nombre d'occupants. Pour deux animaux, elle devra mesurer au moins 120 cm de long, 60 cm de large et 50 cm de haut.

Elle devrait être faite de bois dur et de treillis métallique, et comprendre un « coin à dormir » dans lequel règne une certaine obscurité.

Il te faudra aussi des bols pour la nourriture du cobaye ; ils doivent être assez lourds, car l'animal pourrait les renverser s'ils étaient trop légers. Il est préférable de mettre l'eau dans un distributeur spécial qui sera fixé au treillis de la cage.

Des copeaux de bois recouvriront le sol de la partie principale de la cage ; du foin formera la litière du coin à dormir.

△ Les bols à nourriture vendus pour les petits chiens sont assez lourds. Le cobaye ne les renversera pas facilement.

▽ Un enclos temporaire peut être délimité par des planches maintenues par des briques. Reste à côté de ton cobaye si l'enclos n'est pas recouvert d'un grillage, car chiens et chats constituent un danger pour ton ami.

Quel cobaye choisiras-tu ?

La plupart des magasins spécialisés ont un grand nombre de cobayes, de diverses races et teintes. Tu n'auras que l'embarras du choix. Demandes-en un jeune, de préférence âgé de huit semaines au maximum. Il sera plus facile à apprivoiser. Si tu en choisis un plus âgé, il sera plus craintif en présence de ce qui ne lui est pas habituel.

▽ Actuellement, de nombreux magasins refusent de vendre un animal à un enfant. Fais-toi accompagner par un adulte. Le vendeur t'aidera à choisir en te montrant de plus près ses pensionnaires.

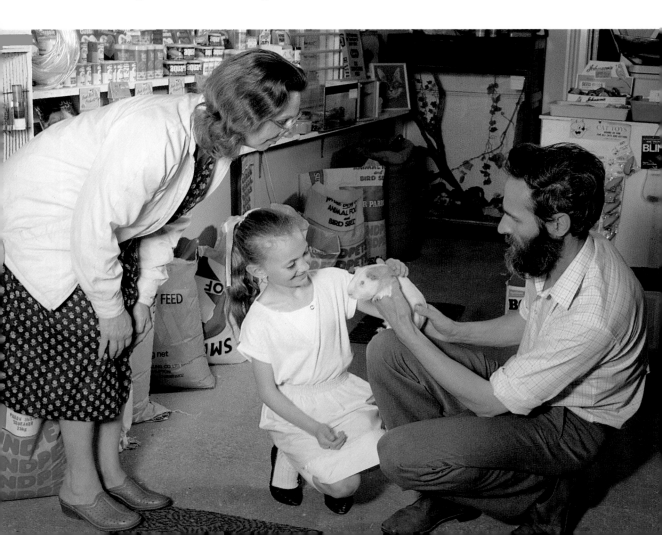

Si tu veux acheter deux cobayes, mieux vaut prendre deux femelles, car deux mâles se battraient probablement beaucoup. Ne prends pas non plus un mâle et une femelle, car ils se reproduiraient trop rapidement et tu manquerais bientôt de place pour leurs jeunes...

Assure-toi que les animaux sont en bonne santé. La robe d'un cobaye sain ne présente ni plaies ni plaques chauves. La fourrure d'un cobaye à poil court doit être douce et brillante. L'animal doit avoir les yeux vifs, le nez, la bouche et l'anus bien propres.

Choisis des animaux qui semblent actifs plutôt que ceux qui restent tapis dans un coin. Ceux-ci sont peut-être malades, et de tels cobayes pourraient ne jamais devenir très familiers.

△ Ce cobaye aux yeux vifs et à la fourrure brillante sera sûrement un animal familier sans problème et agréable.

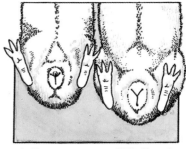

△ Il est assez difficile de reconnaître le sexe d'un jeune cobaye. Retourne l'animal. Si ce que tu vois ressemble à l'image de gauche, c'est un mâle. Si cela ressemble à celle de droite, tu tiens en mains une femelle.

Le transport à la maison

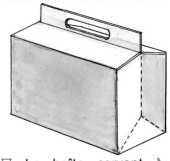

Quand tu vas acheter ton cobaye, pense à emporter une boîte pour le ramener chez toi. Cette boîte ne peut être ni trop petite — le cobaye doit pouvoir bouger à l'aise — ni trop grande.

Des trous d'aération doivent être percés dans le dessus de la boîte, pour que l'animal puisse respirer. Une litière de foin rendra son voyage moins pénible.

▽ La boîte servant à transporter le cochon d'Inde peut être en bois ou en carton. Celle ci-dessous a une ouverture d'aération grillagée.

Dès ton arrivée à la maison, place doucement ton cobaye dans sa cage. Tu as certainement très envie de jouer avec lui, mais mieux vaut le laisser tranquille afin qu'il s'habitue peu à peu.

Tu devras apprendre à le soulever et à le tenir convenablement. Pour cela, essaie d'abord de l'attirer vers toi avec un brin d'herbe ou une graine de tournesol. Caresse-le doucement tout en glissant une main sous lui : elle devra bien soutenir son arrière-train et ses pattes. Place l'autre main sur ses épaules, afin qu'il ne puisse pas gigoter et tomber : cela pourrait le blesser ou le tuer.

△ Quand tu saisis ton cobaye, il doit se sentir en sécurité, bien qu'il soit posé sur ta main. Ce sera le cas si tu soutiens fermement son arrière-train. Ne le serre pas, car il pourrait prendre peur.

La nourriture et les repas

Les cobayes sont herbivores, ce qui signifie qu'ils ne mangent que des plantes. Un cochon d'Inde adulte devrait recevoir environ 250 gr de nourriture végétale par jour. Cela paraît beaucoup pour un si petit animal, mais les végétaux contiennent beaucoup d'eau et une grande quantité de fibres qui ne seront pas digérées complètement.

Renseigne-toi sur les goûts de ton cobaye et n'oublie pas qu'un jeune animal mange moins qu'un adulte.

△ Les aliments secs nécessaires pour une semaine ne te coûteront pas cher. Veille à ce que ton cobaye aie toujours suffisamment d'eau à boire.

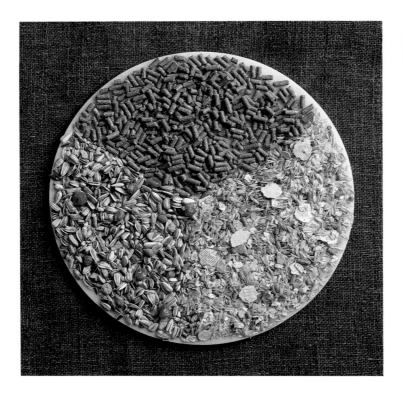

◁ Voici divers aliments secs pour cobaye: granulés, céréales, fruits secs, graines de tournesol, flocons d'avoine.

18

Prends l'habitude de nourrir tes cobayes deux fois par jour, aux mêmes
heures. Pour le repas du matin, donne-
leur de la nourriture sèche — graines,
flocons d'avoine ou un mélange spécial
pour cobaye — et une poignée de foin.

Tu peux préparer toi-même un mélange de grains, de granulés, de graines
et de fruits secs. Mais si tu n'as qu'un
ou deux cobayes, tu as intérêt à acheter
des paquets de mélange pour cobaye,
qui se conservera mieux.

Une cuiller à soupe de nourriture sèche suffit, mais si ton cobaye a vite fini,
donne-lui-en un peu plus. Il ne sera pas
malade, car il sait s'arrêter à temps.

▽ Le foin est très impor-
tant, d'abord pour sa va-
leur alimentaire, et aussi
parce que les feuilles et
les tiges de cette herbe
séchée usent les dents du
cobaye qui les ronge, et
les gardent ainsi à la
bonne longueur. N'essaie
pas de faire des écono-
mies en lui donnant de la
paille, qui est une sorte
de nourriture beaucoup
moins bonne.

Le cobaye a une particularité qui le distingue des autres animaux : comme les hommes, il est incapable de fabriquer lui-même de la vitamine C. C'est pourquoi tu dois lui donner de la nourriture riche en vitamine C. En début de soirée, le second repas doit donc être constitué de légumes verts crus, de carottes, de betteraves ou de fruits. Si tu donnes à ton ami de la verdure fanée ou des épluchures de pommes de terre, il risque fort de tomber malade. Ses aliments frais doivent être variés. Certains des fruits et légumes crus que tu manges lui conviendront parfaitement.

△ Ton cobaye aimera sûrement les légumes suivants : salade, chou, épinard, carotte et betterave. Parfois, tu peux aussi le régaler d'un morceau de pomme ou d'un autre fruit.

Tu peux cultiver des légumes pour ton cobaye ou cueillir certaines plantes sauvages. L'herbe, le trèfle et le pissenlit sont excellents.

Veille toutefois à ne pas les cueillir dans un terrain qui a été traité avec des insecticides ou des herbicides.

Ne les ramasse pas non plus au bord d'une route importante, car les gaz d'échappement des voitures contiennent du plomb qui empoisonne les plantes. Si ton cobaye en mangeait, ce serait mauvais pour lui.

Enfin, ne cueille que des plantes que tu peux reconnaître avec certitude : tu éviteras ainsi le risque de donner à ton cobaye des plantes vénéneuses.

△ Les principales plantes sauvages que tu peux cueillir pour ton cobaye sont des graminées (ou herbes). Il aimera aussi du pissenlit et du trèfle. Fais attention quand tu cueilles de la vesce (en bas, à droite) : il y a des plantes qui lui ressemblent mais qui sont très dangereuses, car vénéneuses.

Un abri pour l'été

Si tu as un jardin avec une pelouse qui n'a pas reçu trop d'engrais ou d'herbicide, installes-y ton cobaye durant l'été. Il s'y plaira beaucoup.

Une cage d'élevage pour cobaye ressemble un peu à un bateau renversé. Elle comporte deux parties distinctes : une sorte d'abri en bois à toiture à deux pentes, recouverte de carton bitumé qui protégera de la pluie, et un châssis en bois servant de support à un treillis métallique, en prolongement de l'abri.

▽ Les matériaux nécessaires à la construction de la cage ne sont pas très coûteux, mais tu devras sans doute demander l'aide d'un adulte pour scier le bois et clouer les poutres et planches.

La partie couverte de la cage devrait se trouver à deux ou trois centimètres du sol, afin que l'humidité ne s'accumule pas à l'intérieur durant la nuit. Tu dois pouvoir l'ouvrir pour le nettoyage. Même en été, il faut donner beaucoup de foin aux cobayes dans leur coin à dormir, pour qu'ils puissent en manger et qu'ils aient un nid douillet.

La partie grillagée de la cage devrait mesurer environ deux mètres de long, ce qui permet aux cobayes de rester actifs et de courir réellement.

Au bout de quelques jours, déplace la cage, pour que tes amis aient à nouveau de l'herbe fraîche à manger. Si l'herbe est abondante, il leur faudra moins de légumes crus, mais tu dois toujours leur en donner un peu, de même que des aliments secs et de l'eau.

△ Une telle cage d'élevage est idéale pour un cobaye durant l'été, mais s'il doit rester longtemps dehors, il serait préférable que tu lui procures de la compagnie.

▷ Les cobayes ne devraient pas rester très longtemps dans une cage ouverte comme celle-ci, bien qu'ils apprécient sans doute le changement quand tu les y apportes.

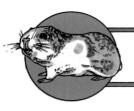

La propreté indispensable

Les cobayes sont des animaux très propres. Ils font généralement leurs besoins naturels dans le même coin de la cage, de sorte qu'il te sera facile d'ôter chaque jour la litière sale.

Nettoie toute la cage une fois par semaine. Remplace la litière, faite de paille, foin ou copeaux de bois. N'emploie jamais de la sciure, qui pourrait causer des problèmes respiratoires ou des inflammations des yeux du cobaye.

△ Tu dois réserver du temps, chaque semaine, pour l'entretien complet de l'intérieur de la cage de ton cochon d'Inde.

Utilise un racloir pour être sûr d'enlever toute la litière sale.

Plusieurs fois par an, tu devras aussi récurer la cage avec une brosse dure et un désinfectant. Mais surtout, rince-la bien ensuite et laisse-la sécher complètement avant d'y remettre ton cobaye.

Les cobayes font leur toilette en frottant et en grattant leur museau avec leurs pattes de devant. Les races à poil court ne demandent presque pas d'autres soins, mais leur fourrure brillera davantage encore si tu les brosses avec une brosse douce pour bébé.

Les cobayes à poil long doivent être brossés soigneusement tous les jours avec une brosse assez douce. Si tu remarques que ton cobaye est sale, tu peux le laver, dans une pièce bien chauffée, avec de l'eau chaude — mais pas bouillante — et un shampooing pour bébé. Sèche bien l'animal avant de le replacer dans sa cage.

△ Les cobayes abyssins peuvent être brossés avec une brosse à dents.

▽ Le brossage débarrasse la fourrure des poils tombés et des pellicules et garde le pelage sain.

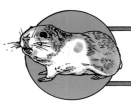

La santé du cobaye

Si tu remarques quoi que ce soit d'anormal et si cela te fait penser que ton cobaye est malade, emmène-le dès que possible chez le vétérinaire. Celui-ci parvient généralement à guérir la plupart des maladies des animaux, quand elles sont prises à temps.

Le cobaye peut souffrir de nervosité. S'il n'est pas soigné rapidement, une maladie bénigne peut alors devenir fatale ; par exemple, dans le cas de parasites qui s'incrustent sous sa peau.

△ Lorsque deux cobayes adultes se battent, il arrive qu'ils se cassent les dents, mais le plus souvent, les problèmes dentaires sont dus aux dents devenues trop longues.

▽ Une des tâches du vétérinaire sera de couper les dents du cobaye à une longueur qui lui permette de grignoter à nouveau.

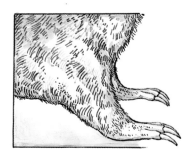

▷ Si elles ne sont pas coupées, les griffes du cobaye peuvent finir par le handicaper et l'empêcher presque de marcher. Le vétérinaire te montrera comment les entretenir.

△ Un cobaye attaqué par des parasites se gratte beaucoup et perd ses poils par plaques. Si tu n'attends pas trop longtemps avant de le faire soigner, le vétérinaire pourra y remédier.

Si tu soignes bien ton cobaye, il restera probablement en bonne santé toute sa vie. Tu dois donc le faire vivre dans de bonnes conditions et veiller à sa santé. Garde-le dans un endroit chaud et sec, à l'abri des courants d'air. Vérifie si le foin que tu lui donnes ne contient pas de chardons et n'est pas moisi.

Les petites crottes du cobaye t'apprendront si ton ami est en bonne santé. Si elles ne sont pas fermes et sèches, il souffre d'un dérangement intestinal, qu'il faudra soigner. Quand tu brosses ton cobaye, vérifie ses griffes et ne les laisse pas trop pousser. Contrôle aussi ses dents et emmène ton cobaye chez le vétérinaire si elles doivent être coupées.

27

Le journal de ton cobaye

Les êtres vivants ont ceci de passionnant qu'ils sont tous différents les uns des autres. Si tu observes attentivement ton cochon d'Inde, tu repéreras vite chez lui certaines particularités.

Tu n'auras pas besoin d'un équipement compliqué pour faire tes observations, mais une règle et une montre qui indique les secondes pourront t'être utiles. Tu pourrais aussi tenir le journal de ton cobaye. Indique bien tous les détails que tu observes au jour le jour, car tu les oublieras par la suite.

▽ Si tu illustres ce journal, ce sera mieux encore. Même si tu n'es pas très doué pour le dessin, tu peux montrer, par exemple, si ton cobaye dort roulé en boule ou, au contraire, étendu. L'intérêt scientifique de ton travail sera ainsi augmenté.

△ En observant ton cochon d'Inde, tu remarqueras assez vite combien le repos est important pour lui.

Si tu commences tes observations dès l'achat du jeune cobaye, tu pourras noter la vitesse de sa croissance. Pour cela, place-le sur une surface plane et mesure sa longueur et sa hauteur tous les trois jours, jusqu'à ce que tu sois certain qu'il ne grandit plus. Compare les mesures, pour voir s'il a grandi toujours à la même vitesse. Mesure aussi la longueur d'une patte arrière et vois si elle grandit autant que le reste du corps.

Note la nourriture préférée de ton ami et calcule le temps qu'il passe à manger, à faire sa toilette, à prendre un bain de soleil ou à dormir. Si tu as plusieurs cobayes, tu remarqueras ainsi de nombreuses différences entre eux.

▽ Si ton cobaye a des jeunes, tu pourras observer la façon dont leur mère s'occupe d'eux et combien ils changent en peu de temps.

29

Rappel des points principaux

 Tous les jours :

1 Vérifie le niveau de l'eau et sa pureté.
2 Lave soigneusement les bols, mais pas en même temps que la vaisselle de ta famille, et en utilisant d'autres torchons.
3 Donne les repas matin et soir.
4 Nettoie le « coin W.C. »
5 Enlève ailleurs la litière vraiment salie.
6 Ajoute du foin si c'est nécessaire.
7 Contrôle la santé de l'animal et brosse-le, si nécessaire.

 Chaque semaine :

1 Enlève toute la litière. Éventuellement, tu peux réutiliser ce qui est resté propre, mais en complétant pour obtenir la quantité voulue.
2 Lave avec soin le distributeur d'eau ou le bol.
3 Vérifie si tu as assez d'aliments pour la semaine.

 De temps en temps :

1 Vide complètement la cage et récure-la à l'eau chaude additionnée d'un peu de désinfectant. Rince-la à fond et sèche-la bien.
2 Lave tous les jouets et rince-les à fond. S'ils gardent une odeur, le cobaye n'en voudra probablement plus.
3 Si ses griffes ou ses dents sont trop longues, emmène l'animal chez le vétérinaire.
4 Pense à faire pousser des graines dans ton jardin ou dans un bac, à ta fenêtre, pour pouvoir donner de la verdure à ton ami.

Questions et réponses

Q Qu'est-ce qu'un cobaye ?
R C'est un rongeur originaire d'Amérique du Sud, qui a une certaine parenté avec le porc-épic et l'agouti.

Q De quelle région vient-il plus précisément ?
R Le cobaye du Pérou est l'ancêtre le plus probable du cobaye domestique, appelé aussi cochon d'Inde.

Q Quel est le nom scientifique du cobaye ?
R *Cavia porcellus*.

Q Qui a commencé à domestiquer les cobayes ?
R Les Incas en faisaient l'élevage, pour les manger.

Q Combien de jeunes la mère a-t-elle en une portée ?
R D'ordinaire pas moins de deux, ni plus de quatre.

Q Combien pèse un cobaye à sa naissance ?
R Son poids moyen est de 85 à 90 grammes.

Q Combien de temps la mère allaite-t-elle ses petits ?
R Entre trois et quatre semaines.

Q Combien pèsent-ils au moment du sevrage ?
R Environ 250 grammes.

Q Quel est le poids d'un cobaye adulte ?
R Le mâle pèse environ 1 kg, la femelle 850 grammes.

Q Combien de temps un cobaye peut-il vivre ?
R Un cobaye bien soigné et en bonne santé peut vivre au moins quatre ans.

Index

PRINTED IN BELGIUM BY

proost
INTERNATIONAL BOOK PRODUCTION